U0183399

大艺术家讲萌趣动物

[法] 蒂埃里·德迪厄◎著/绘　　郑宇芳◎译

四川科学技术出版社

写在前面的话

《美丽中国》纪录片副导演　杨晔

从我记事开始，动物总是相伴于我的生活和成长。下雨天，门前马路上跳过的青蛙，动物园里在笼中徘徊的黑豹，小学毕业旅行时在青海湖见到的一群斑头雁，初中在操场做操时飞过树林的一只大猫头鹰……这些记忆伴随着我的成长，为一个孩子的童年带来了无限的快乐和梦想。

那时，互联网还没有普及，想要了解动物知识并非易事，介绍动物的科普书大部分是文字版的，而且充满了各种专业名词，对于一个刚刚识字的孩子来说，只能望书兴叹。毕业后，我进入英国广播电视公司（BBC）自然历史部，从事野生动物纪录片的相关制作工作。在工作之余的闲暇时光，我和同事们一起吃饭聊天，才知道他们并不一定是野生动物专业科班出身，但他们从小都非常热爱自然、热爱动物。他们通过各种渠道来了解动物们的种种故事，而图书，特别是那些制作精美、画面生动的科普图画书，曾在他们幼小的心灵里播撒下了科学的种子，激起了他们对自然的热爱、对动物保护的兴趣，促使他们将这种热爱和兴趣发展成为职业，从而开始了动物保护事业。

今天，我很高兴可以和大家聊聊这样的科普图画书。这套《大艺术家讲萌趣动物》由法国著名的艺术家、图画书作家蒂埃里·德迪厄创作，他在法国享有盛

名，曾荣获女巫奖、龚古尔文学奖等重要奖项。为了表彰他在儿童文学领域取得的巨大成就，2010年，他被授予法国儿童图书大奖——“魔法师特别大奖”。他的画风简洁、活泼可爱，文笔则透露出机智和幽默，深受小朋友们的喜爱。这套专门为学龄前儿童创作的图画书简约但不简单，作者精心选取了自然界中孩子们最感兴趣的多种动物，用幽默风趣的绘画和简洁明了的文字描绘了这些动物或广为人知，或普通人鲜有耳闻的行为和习性，从而帮助孩子们走近和了解这些动物。通过阅读这些书，孩子们了解到：童话中的大灰狼在现实中也有它害怕的天敌；勤劳的蜜蜂是舞蹈高手，因为它们要通过跳舞来传递信息；大猩猩和人类一样，也会使用工具；雄狮的工作不是捕食，而是巡视领地……这些知识对孩子们而言十分容易理解和接受，孩子们通过阅读，能感受动物世界的神奇与美好，而这也正是作者希望通过这些书传递给小读者们的情感。

作为一名科普教育工作者，我为孩子们有机会读到这样的优质图书而高兴。希望孩子们在阅读之后，能更好地感知和认识动物的生存价值，尊重和爱护它们；将动物当作人类真正的朋友，不去伤害它们，和它们和平共处，共同维护更加美好的地球家园。

让我们一起走进美好的动物世界，去感受自然的神奇和伟大吧！

“不！这不是鸵鸟蛋！”

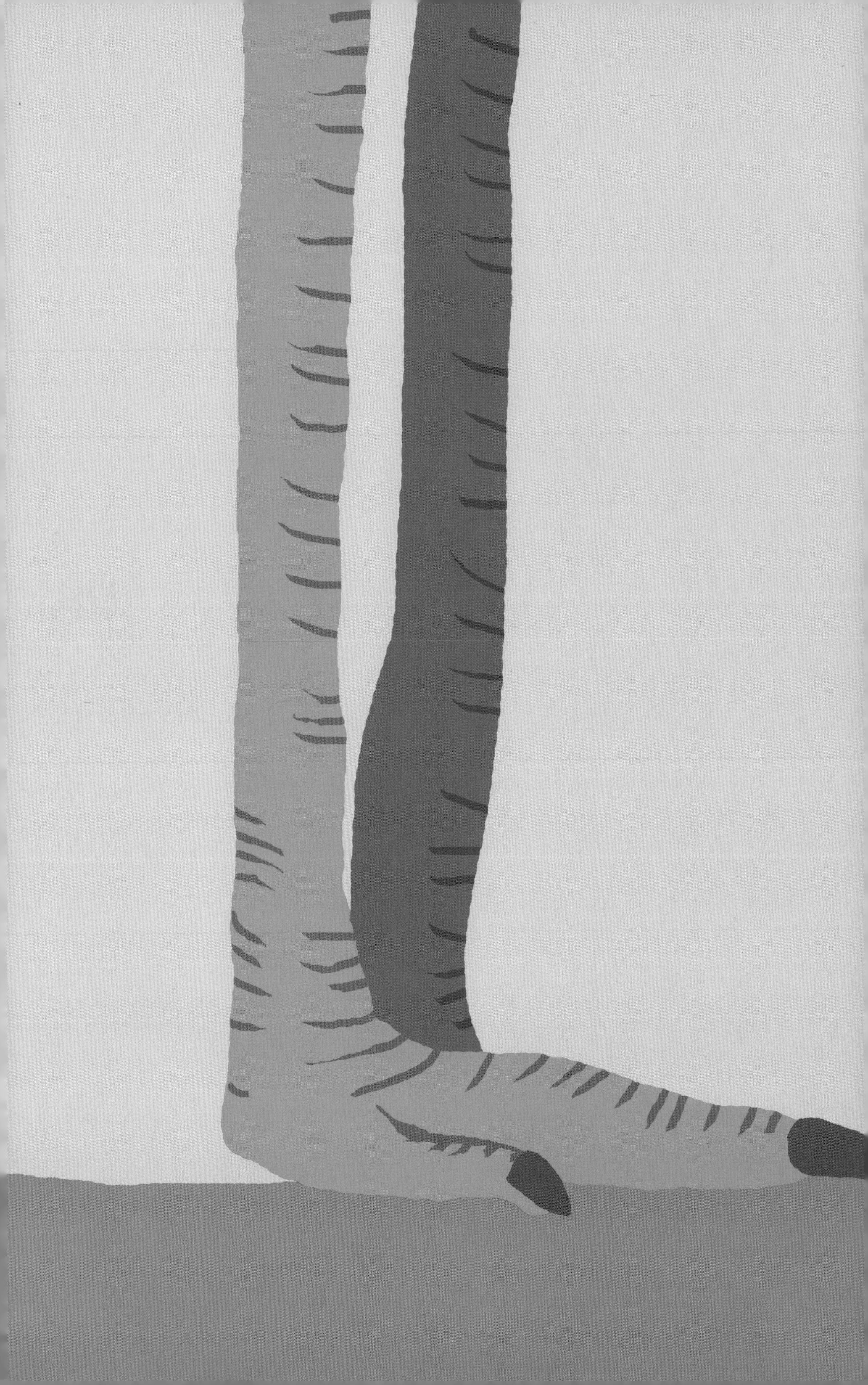

鸵鸟是世界上最大的鸟，

成年鸵鸟高约 2.5 米，

重 150 千克左右。

鸵鸟的蛋重1~2千克。

鸵鸟不会飞。

鸵鸟跑得非常快，最高时速可达 72 千米！

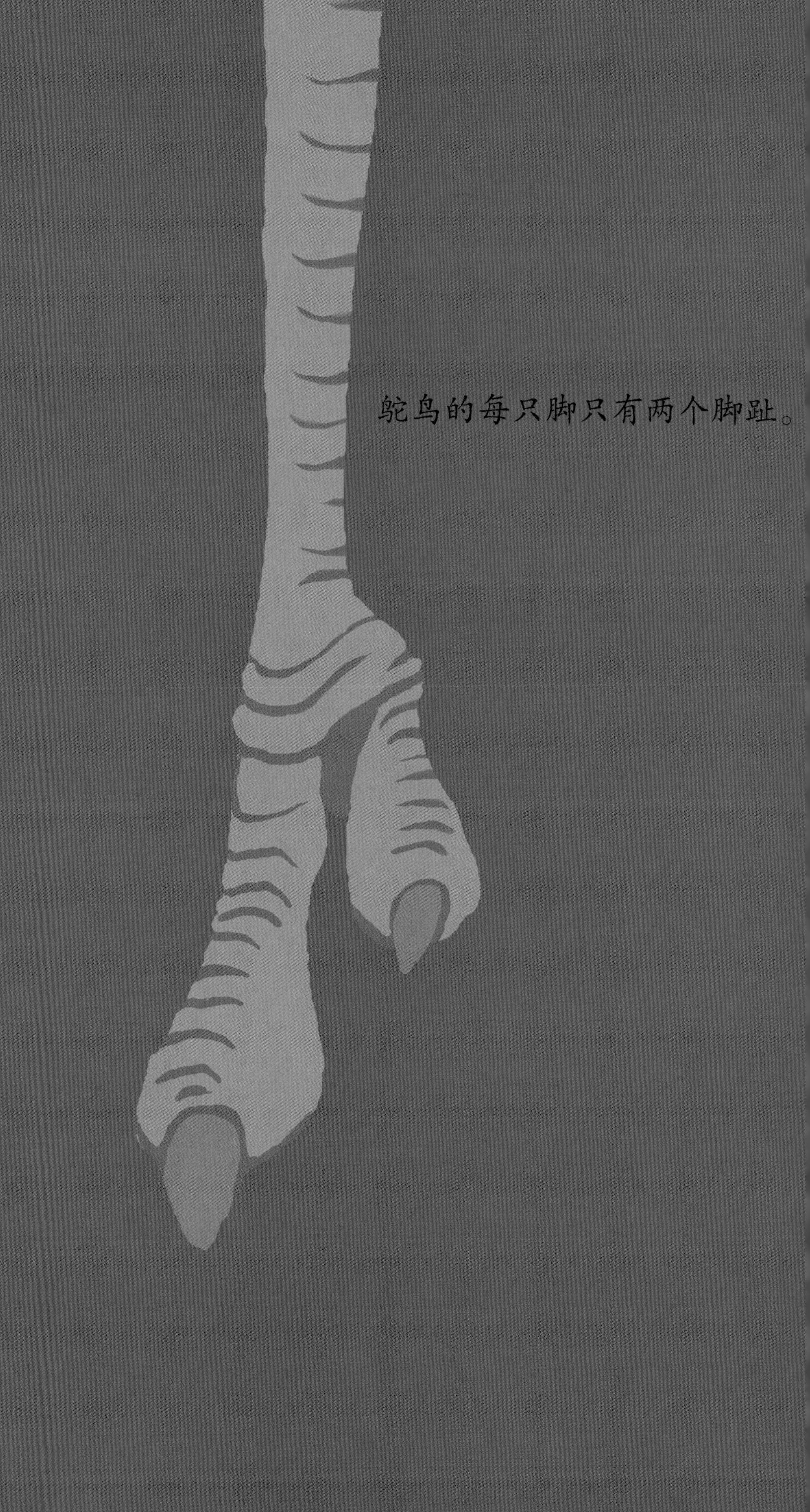

鸵鸟的每只脚只有两个脚趾。

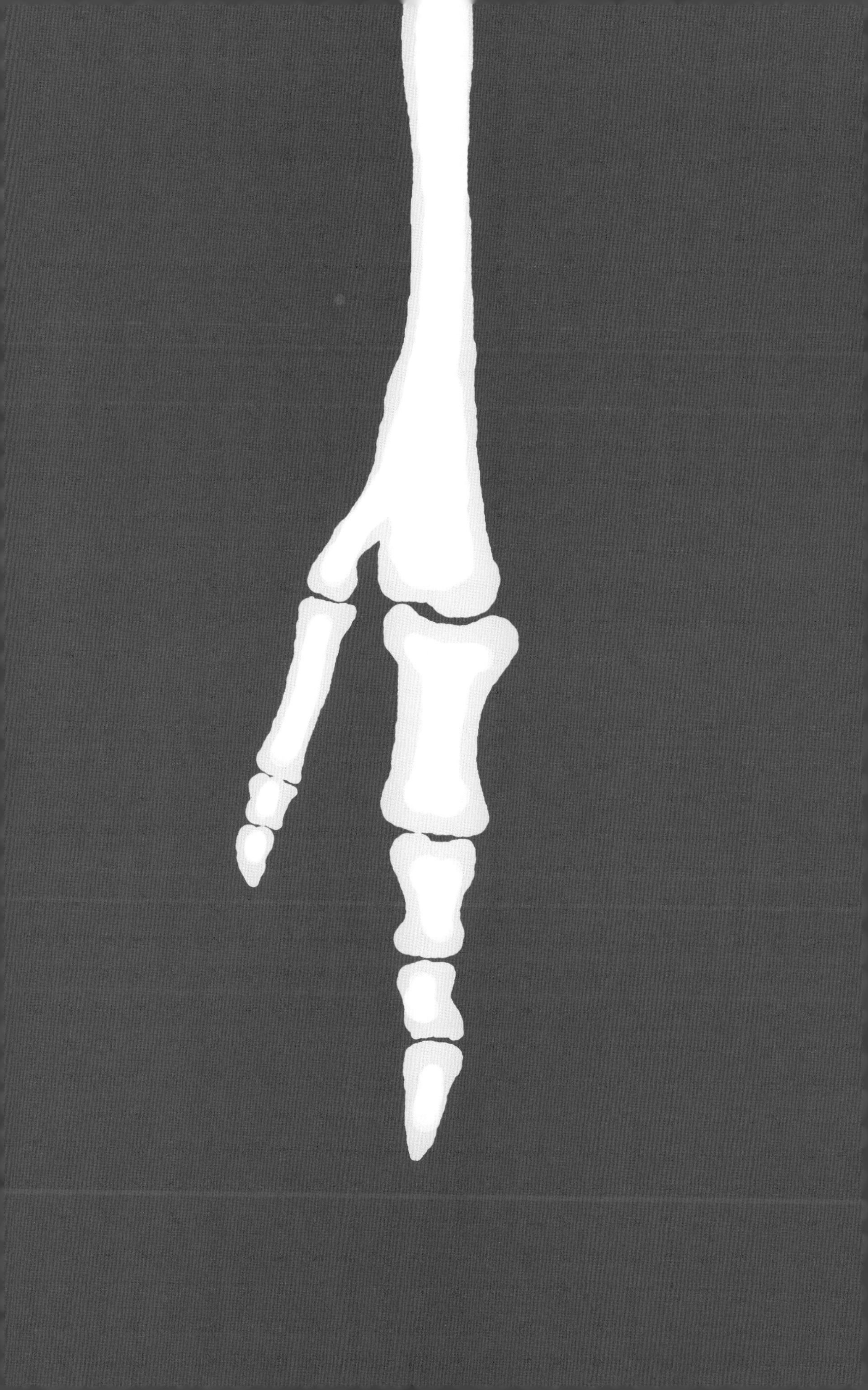

鸵鸟属于平胸类鸟类，这类鸟都不能飞行。

鹬鸵

鸸鹋

鹤鸵

美洲鸵鸟

鸵鸟是草食动物，

它的胃口非常大，

几乎能吞下所有它发现的东西。

鸵鸟的眼球比它的大脑还要重。

鸵鸟的羽毛常用于人们的装饰。

人们常说，
鸵鸟害怕的时候，
会把头伸进沙子里。
这种说法是错误的！

“我的羽毛小玩意儿！

哒哒哒哒！”

非洲的大草原是各种有蹄类草食动物的天下，而在成群的角马、斑马群中，总有一些特立独行的高个子穿梭其中，它们优雅地踱着步，不时低头啄起一些食物，黑白色的搭配是“男士”的专利，而灰色则是“女士”的标准着装颜色。没错，它们就是鸵鸟，全世界现存最大的鸟类。

鸵鸟是鸟类中当之无愧的“大哥大”，两米多的身高让它们常常傲视整个草原，很多大型动物都没有这样的身高优势。因此，高高扬起脖子的鸵鸟总能及时发现危险，然后以超过每小时60千米的速度狂奔而去，避开风险。

鸵鸟蛋也超乎一般鸟蛋的大小，通常一个就有1千克左右，相当于十几个鸡蛋的重量，坚硬的蛋壳甚至能承受得住一个成年人站在上面。

即使个子这么大，草原这么辽阔，鸵鸟依然危机重重。幸运的是，当它们启动强壮有力的双足后，通过脚上的两趾可以快速奔跑；除了大王乌贼和蓝鲸以外，鸵鸟的眼睛算是整个动物世界中最大的，长长的睫毛则可以更好地保护其眼睛不受风沙的侵袭。

当然，鸵鸟在遇到危险时，除了逃跑以外，也会积极反抗。它们有力的双腿和坚硬的喙都是好武器。

有人说鸵鸟在遇到危险时，会把头埋在沙子里，这其实是一个谣传。

图书在版编目（CIP）数据

大艺术家讲萌趣动物．鸵鸟／（法）蒂埃里·德迪厄著、绘；郑宇芳译．-- 成都：四川科学技术出版社，2021.8

ISBN 978-7-5727-0211-2

Ⅰ．①大… Ⅱ．①蒂… ②郑… Ⅲ．①动物－儿童读物②鸵鸟－儿童读物 Ⅳ．① Q95-49 ② S839-49

中国版本图书馆CIP数据核字(2021)第156544号

著作权合同登记图进字21-2021-255号

大艺术家讲萌趣动物·鸵鸟

DA YISHUJIA JIANG MENG QU DONGWU · TUONIAO

出品人	程佳月		
著　者	［法］蒂埃里·德迪厄		
译　者	郑宇芳		
责任编辑	梅　红		
助理编辑	张　姗		
策　划	奇想国童书		
特约编辑	李　辉		
特约美编	李困困		
责任出版	欧晓春		
出版发行	四川科学技术出版社 成都市槐树街2号　邮政编码：610031 官方微博：http://weibo.com/sckjcbs 官方微信公众号：sckjcbs 传真：028-87734035		
成品尺寸	180mm × 260mm	印　张	2
字　数	40千	印　刷	河北鹏润印刷有限公司
版　次	2021年10月第1版	印　次	2021年10月第1次印刷
定　价	16.80元		ISBN 978-7-5727-0211-2

本社发行部邮购组地址：四川省成都市槐树街2号 电话：028-87734035 邮政编码：610031